© 1995, l'école des loisirs, Paris
Loi numéro 49 956 du 16 juillet 1949 sur les publications
destinées à la jeunesse : février 2002
Dépôt légal : novembre 2006
Imprimé en Italie par Editoriale Lloyd à Trieste

Philippe Corentin

Papa !

Petite bibliothèque de l'école des loisirs
11, rue de Sèvres, Paris, 6ᵉ

Au lit, on lit.

Mais on y dort aussi. Bonne nuit !

Mais soudain…
Hein ? Quoi ? Qu'est-ce que c'est ?

« Papa ! »

« Papa ! Papa ! Il y a un monstre dans mon lit ! »

« Calme-toi ! Tu as fait un cauchemar, c'est tout !
Allez, viens voir maman. Elle est au salon avec nos amis. »

« Qu'est-ce qu'il a, le petit bonhomme ? » s'étonne un des invités.
« Il a fait un gros cauchemar », dit papa.

« Allez, viens te coucher. Dis bonsoir à tout le monde », dit la maman.

« Et tu sais pourquoi tu as fait un cauchemar, gros bêta ?
C'est parce que tu as trop mangé de tarte aux pattes de mille-pattes. Voilà ! »

« T'es-tu lavé les dents ? Bon ! As-tu fait pipi ? Bien !
Allez, mon petit canard, fais un gros dodo. »

Donc dodo. Mais soudain…
Quoi ? Qu'est-ce que c'est ?

« Papa ! »

« Papa ! Papa ! Il y a un monstre dans mon lit ! »

« N'aie pas peur ! Ce n'est qu'un cauchemar. Tu sais ce qu'on va faire ?
On va aller voir maman au salon. Mais après, tu vas te coucher… hein ? »

« Qu'est-ce qu'il a, mon petit bonhomme ? » s'inquiète maman.

« Il a qu'il a trop mangé de tarte aux pommes. Alors il a fait un gros cauchemar, voilà ! »
continue la maman. « Allez, on va se recoucher. Dis bonsoir à tout le monde. »

« Essaie de dormir. »

« Je te laisse la lumière. Fais un gros dodo. »

Dodo donc…
Oh !

Oh ! l'autre…

Bon ! Ça suffit ! C'est la nuit et la nuit on dort.
Et voilà ! Et c'est tout… et voilà !